Brulbaby's

Meer informatie:
www.uitgeverijholland.nl
uitgeverijholland.web-log.nl

Mieke van Hooft

Brulbaby's

Tekeningen van Elly Hees

Uitgeverij Holland - Haarlem

NEDERLANDSE
KINDERJURY
2007

Dit boek kan gekozen worden door de Kinderjury 2007.
Stemmen? Kijk op www.kinderjury.nl

AVI 5

Nieuws

'We hebben nieuws,' zei papa.

'Groot nieuws,' zei mama. Ze giechelde. Ze had roze blosjes op haar wangen en keek heel erg verliefd naar papa. Hand in hand zaten ze tegenover me op de bank.

'Ik weet het al,' zei ik. Want ik was al acht en niet gek.

'Hoe bedoel je?' vroeg mama en de blosjes op haar wangen werden nog rozer.

Ik wees naar haar buik die veel dikker was dan normaal. Ze kon er een koffiekopje opzetten! 'Je krijgt een baby!'

Papa schraapte zijn keel. 'Wíj krijgen een baby.' Hij legde de nadruk op het woordje 'wij'.

'En met "wij" bedoel ik ons drietjes: mama, ik en jij.'

'Iiieeek!' riep ik. Ik kreeg meteen een plaatje

5

in mijn hoofd waarop ik mezelf zag met óók zo'n dikke buik.

'Hoezo "iiieeek"?' vroeg mama. 'Je vindt het toch wel leuk? Een broertje of een zusje, dat is toch enig?'

Ik dacht aan Sander, bij mij in de klas. Zijn babybroertje brult hem iedere nacht wakker. En ik dacht aan Madelinda bij mij om de hoek. Haar moeder kreeg twee baby's tegelijk. Stel je voor: twéé, en nog twee meisjes ook!

Papa en mama hebben mij geleerd dat je altijd eerlijk moet zijn, dus zei ik: 'Ik had liever een hond.'

Ik geloof dat ze dat niet zo'n leuke opmerking vonden. Maar ze deden net of ze hem niet hadden gehoord.

'Je mag ons wel eens feliciteren,' zei papa. 'Vooruit, geef je moeder eens een dikke zoen.'

Langzaam kwam ik uit mijn stoel. Ik gaf mijn moeder een zoentje op allebei haar roze wangen. En toen mijn vader een op allebei zijn prikkelwangen.

Daarna gaven ze mij ook een zoen. Maar dat hadden ze eigenlijk niet hoeven doen.

Ik had echt liever een hond.

Leuk?

Raar is dat: iedereen die het nieuws over de
baby hoorde, zei hetzelfde:
'Wat leuk voor je, Storm, een broertje of een
zusje!'

Behalve Sander. Die zei niks. Maar hij gaf me
wel een toffee.

In ons huis was intussen de babykoorts
uitgebroken. Het rommelkamertje boven aan
de trap werd leeggemaakt. Er kwam nieuwe
vloerbedekking in. Er kwam behang met
eendjes en een gordijn met visjes.
Er kwam een bedje. En een badje.
Een kastje vol truitjes en hemdjes.
Zuigflesjes.
Knuffellapjes.
Lapjes met touwtjes eraan, mijn moeder
noemde ze slabbertjes. Ooit zo'n gek woord
gehoord?
En er kwam een geel busje met poeder.
Ik dacht dat er suiker in zat voor over de
poffertjes. Maar het was billetjespoeder.

BILLETJES
POEDER

BILLETJESPOEDER!
AJACH!
Papa en mama kregen een nieuwe hobby:
namen bedenken. Iedere avond gingen ze
samen op de bank zitten.

Ze hadden een boekje gekocht dat heette: "De drieduizend mooiste voornamen voor uw kind".

De namen die ze het allermooiste vonden, schreven ze op een lijstje. Een geheim lijstje, want ik mocht het niet zien. Ik wílde het niet eens zien! Ik mocht toch niet mee kiezen!

Rakker, vond ik een mooie naam.

Of... Lassie... Of Lady.

Of Rintintin.

Mij hebben ze Storm genoemd. Omdat het zo hard waaide toen ik werd geboren. De pannen vlogen van het dak! Ik ken niet één jongen die ook zo heet.

Nog een geluk dat het niet regende die dag. Anders heette ik nu misschien wel Drup. Of Zonnetje, als de zon had geschenen.

Dan heet ik toch nog liever Storm!

De echo

Mama's buik werd al gauw een bijzettafeltje. Eerst kon er één kopje op staan. Al snel werden dat twee koffiekopjes. Een maand later konden de suikerpot en het melkkannetje er ook bij. Nog een maand later was er ook plaats voor de koektrommel. Op een dag was haar buik zo groot dat er een heel servies op kon.

De babydokter zei dat dit niet normaal was. Hij wilde een echo laten maken. Ik dacht dat mama daarvoor naar een waterput moest. Dat ze 'Hoe heet de burgemeester van Wezel?' moest roepen, of zoiets. Maar dat had ik niet goed begrepen. Voor die echo moest ze naar het ziekenhuis. Daar konden ze op een soort echo-televisie naar de baby kijken. Ik snapte er niks van. En ik was ook wel een klein beetje jaloers want ik was zelf nog nooit op tv geweest.

Papa en mama gingen samen naar het ziekenhuis. Aan het eind van de middag waren ze weer terug. Gelukkig, want ik rammelde van de honger. Ik hoopte dat mijn moeder meteen ging koken. Of nog liever, dat mijn vader dat deed. Want papa maakte altijd gehaktballen en daar was ik dol op.

Maar mama ging niet naar de keuken en papa ook niet. Ze gingen hand in hand op de bank zitten. Ik keek naar hun gezichten. Zulke vreemde gezichten had ik nog nooit gezien. Ze lachten. Maar er stonden ook tranen in hun ogen.

'Is er iets?' vroeg ik. Want ik was natuurlijk niet gek.

Ze knikten allebei precies tegelijk.

Er hing een druppel aan mama's neus. Hij deed zijn best om te blijven hangen maar door dat knikken viel hij eraf.

Midden op mama's enorme buik.

En toen wist ik wat er aan de hand was: Ze hadden op de echo-televisie gezien dat er niet één baby in die buik zat, maar twee! Daar moesten ze om lachen. Maar ze hadden maar één bedje. En één badje. En één busje billenpoeder.

En daar moesten ze om huilen.

Hoeveel?

Ik slaakte een diepe zucht. Dat kan ik goed, diep zuchten. Ik heb wel eens zo diep gezucht dat ik er een kaarsvlammetje mee uitblies.

Papa en mama zaten nog steeds te huilen en te lachen. Ik had medelijden met hen. Ze durfden het me natuurlijk niet te vertellen. Ze snapten best dat ik niet juichend om de tafel zou gaan dansen als ze zeiden dat er niet één maar twéé baby's zouden komen. Als het twee hónden zouden zijn, ja... dan zou ik van blijdschap tien keer de trap oprennen. Dan zou ik een flikflak maken door de gang en de vlag uitsteken. Maar mijn moeder kon geen honden in haar buik hebben.

Ik besloot hen een beetje te helpen want ik kreeg steeds meer honger.

'Ik weet het al hoor,' zei ik. En ik toverde een glimlach op mijn gezicht. 'Mama, je bent zo dik. We krijgen zeker twéé baby's?'

Mama begon heel hard te lachen: 'Hihihihi.'

En ook heel hard te huilen: 'Huh huh huh.'

En papa deed precies hetzelfde.

Ik snapte wel dat het nog even zou duren voordat we zouden gaan eten. Ik hoopte dat mijn maag zo hard zou gaan rammelen dat ze het konden horen.

'Je kunt er toch een bedje bij kopen,' zei ik. 'En een tweeling kan samen in bad. En misschien is één busje billenpoeder ook wel genoeg voor twee baby's.'

Papa haalde zijn zakdoek te voorschijn. Hij snoot zijn neus en veegde over zijn ogen. Daarna gaf hij zijn zakdoek aan mama, zodat zij ook haar neus kon snuiten.

'Storm, lieve jongen,' zei hij. Zijn blik kwam niet verder dan het bovenste knoopje van mijn bloes. Ik zag dat hij een paar keer slikte voordat hij verder kon praten. 'Mama heeft geen twéé baby's in haar buik...'

'Niet?' riep ik verrast. Ik haalde opgelucht adem. 'O, gelukkig pap! Ik was al bang. Ik dacht: straks krijgen we twee van die brulapen. Eén is meer dan genoeg, vind je ook niet?'

'Geef mijn zakdoek eens terug,' zei papa. Hij snoot opnieuw zijn neus. Toen keek hij me aan, met rode, natte ogen. 'Hou je vast Storm!'

Ik klemde mijn handen om de leuning van de stoel.

'We krijgen een vierling!'

Vier!

Even leek het alsof ik niet snapte wat papa bedoelde. Alsof ik niet wist wat het woord 'vierling' betekende. Alsof hij net zo goed had kunnen zeggen:

We krijgen een habbekluts.

We krijgen een flaksefluts.

Of een floepsipoeps.

'Een... vierling,' herhaalde ik. Mijn blik gleed naar mama's buik. Die was zo groot, er kon wel een drumstel inzitten. Of een sint-bernardshond. En... ja... Als je een beetje fantasie had, kon er een vierling in zitten.

Het was plotseling alsof er een raampje in haar buik zat en ik naar binnen kon kijken.

Ik zag vier baby's. VIER!

Ik wist niet wat ik moest zeggen. Ik deed mijn mond open en weer dicht. Ik zuchtte en ik haalde diep adem. En toen deed ik hetzelfde als papa en mama: Ik lachte hi hi hi.

Ik huilde huh huh huh.

En mijn maag rammelde want ik stikte van de honger.

Zusjes

Die avond haalden we patat met pindasaus.
Daar ben ik altijd dol op. Maar de frietjes
bleven steken in mijn keel en smaakten
nergens naar.

Papa en mama aten ook maar heel kleine
ukkie-pukkie-hapjes. We staarden naar ons
bord en niemand zei iets.

Mama's bord stond op haar buik. Plotseling
TSOK! zwiepte het bord omhoog en vloog
de patat de lucht in. Mama gilde. Eén frietje
plonsde midden in mijn beker melk. Een
ander kwam in de vissenkom terecht, die op
de kast stond.

'Tjonge,' zei papa, 'die meiden hebben
voetbalbenen!'

'Welke meiden?' vroeg ik dom.

Hij wees met zijn duim naar mama's buik. 'Je
zusjes. Dat was een superschot.'

Mijn vork viel uit mijn hand. 'Hoezo...
zusjes?' Mijn stem klonk heel dun, alsof hij
kon breken.

'Dat hadden we eigenlijk nog geheim willen houden,' zei mama. 'Maar ach... je mag het ook wel weten: Op de echo konden we niet alleen zien dat het vier baby's zijn. We weten nu ook dat het vier meisjes zijn. Vier zusjes.'

Ik dacht even dat ik flauw zou vallen.

Madelinda bij mij om de hoek kreeg twéé babyzusjes tegelijk. Dat leek mij al heel erg verschrikkelijk. Het kon toch niet waar zijn dat wij viér meisjes kregen?'

'Zit er niet één jongetje bij?' vroeg ik ongelovig.

Ik las het antwoord in mama's ogen.

Er kwam een raar piepje achter uit mijn keel.

'Rustig nou maar,' zei mama. Ze legde een hand op mijn arm.

'Moeten we ze allemaal zelf houden?' Ik had het gevoel dat ik in een heel enge droom terecht was gekomen. 'De buurvrouw wil er vast wel een. En oma. Oma ook.'

'Storm!' Ik schrok van papa's stem.

'Zeg niet van die rare dingen. Je hebt het over je zusjes!'

'Au!' Mama greep met twee handen naar

haar buik. Het bord vloog weer omhoog. Er
lagen geen frietjes meer op.
Ik wist dat mijn leven nooit meer hetzelfde
zou zijn.

Verhuizen

Ik probeerde doof en blind te zijn. De eerste dagen wilde ik met niemand over de vierling praten. Dat viel niet mee. Mama's buik zwol op als een ballon. Ze zag eruit alsof ze ieder moment op kon stijgen.
Er werden bedjes bij gekocht. En zuigflessen en fopspenen. Er kwamen nog meer lapjes met touwtjes eraan. Er kwamen enorme pakken luiers en babyhoedjes en babytruitjes. Ik struikelde erover als ik door de kamer liep. Er was maar één pluspuntje: pápa kookte voortaan. Dus kregen we iedere avond gehakt-ballen.

SLAGROOM → ← DRIL PUDDING

Na vijf dagen maakte papa ook drilpudding met slagroom. Drilpudding met slagroom is het lekkerste toetje dat er bestaat, dus smikkelde ik er flink op los. Na twee borden drilpudding vroeg papa of ik ook nog een stroopwafel lustte. Toen voelde ik nattigheid.

Ik was niet gek. Ik keek mijn vader aan en zei: 'Nu ga je me zeker vertellen dat het er víjf zijn?'

Papa verslikte zich in een koekkruimel zodat mama hem op zijn rug moest slaan. Daarna moest er ook nog een glaasje water aan te pas komen. Gelukkig schudde papa zijn hoofd.

'Nee Storm, toe zeg! Vijf! Spaar me!'

't Maakte mij eigenlijk niks meer uit. Vier of vijf, wat deed het er nog toe?

'Maar mama en ik willen wel wat met je bespreken.'

Ik pakte een tweede stroopwafel en knabbelde het randje eraf.

''t Gaat nog even over de... over de vierling,' begon papa.

Ik had niet verwacht dat het ergens anders over zou gaan.

'Hopelijk ben je intussen een beetje gewend aan het idee?'

Ik was zo vriendelijk geen antwoord te geven.

'Storm...' Papa wees om zich heen. 'Je ziet wel: we hebben veel spullen nodig voor de vierling. Dat babykamertje boven aan de trap is prachtig voor één kind. Maar véél te klein voor vier. Daarom, Storm, ik weet niet goed hoe ik het moet zeggen... Mama en ik hopen dat je het niet heel erg zult vinden, maar...'

Ik veerde op. Binnenin me begon het plezierig te gloeien. 'Welnee!' riep ik. Ik gooide mijn hoofd in mijn nek en lachte hardop. Ik had altijd al gedroomd van een ander huis.

Groter dan dit. Het liefst met een zolder vol geheimzinnige hoekjes. En natuurlijk met een enorme tuin erbij. Waar ik hutten in kon bouwen en konijnenhokken kon timmeren. Misschien was er ook wel een weitje bij voor een paard. En dan kreeg ik vast ook eindelijk die hond. Rintintin of Rakker. Of Boris. Of Dropneus. Ja, Dropneus was leuk!

Mama greep mijn hand. 'Storm, jochie, ben je... Ben je blij?'

'Nou en of!' juichte ik. 'Ik wilde altijd al verhuizen. Yes! Wanneer gaan we?'

'We?' herhaalden papa en mama. 'We?' Ze werden eerst bleek en toen rood. Mama pakte ook mijn andere hand. 'Ik geloof dat je ons niet goed begrijpt. Wíj gaan niet verhuizen. Jíj. Jíj krijgt het kamertje boven aan de trap!'

Nooit!

Ik rende de trap op en stormde mijn kamer in. Ik knalde de deur achter me dicht en leunde er met mijn rug tegenaan. Zo bleef ik een poosje staan.

Toen liep ik naar mijn apenkast. Ik duwde ertegen met mijn volle gewicht. Langzaam schoof hij een stukje op. Ik bleef net zolang duwen totdat hij voor mijn deur stond. Daarna liet ik me langzaam op mijn bed vallen en staarde ik naar het plafond. Het was een prachtig plafond. Ik had het zwart geverfd, samen met mama. Papa had er discolichten in aangebracht die opflikkerden als ik mijn stereo aanzette. Maar dat was lang geleden. Ver voordat de babykoorts uitbrak.

Ik pakte mijn vijf meest favoriete apenknuffels uit de kast en duwde mijn neus in hun pluizige lijfjes. Uit mijn cd's koos ik er een waarop flink werd geschreeuwd en gekrijst. Die zette ik op. Keihard. Met de apen tegen me aan ging ik opnieuw op bed liggen. Boven

mijn hoofd flikkerden de lichten: groen, rood,
blauw. Aan. Uit. Aan.

Ik dacht aan het kamertje boven aan de trap.
Aan het behang met eendjes en het gordijn met
visjes. En ik wist één ding: deze discokamer
was van mij. Van mij alleen. Niemand kreeg
mij hier weg. Al had mijn moeder honderd
baby's in haar buik. Nooit zou ik mijn kamer
afstaan.

Oma

Ik denk dat ik in slaap ben gevallen. Plotseling zag ik door het raam dat het buiten donker was. De cd was allang afgelopen. Het was heel stil. Ik had het koud en ik moest heel nodig plassen. Ik wist dat ik naar beneden moest. Boven is geen wc en uit het raam plassen is smerig.

Hopelijk waren papa en mama intussen naar bed gegaan. Ik had nog helemaal geen zin om hen tegen te komen.

Met moeite schoof ik mijn apenkast opzij. Heel langzaam opende ik de deur en stak mijn hoofd naar buiten. Op de overloop was niets te zien. Niets te zien is niet waar. Voor de deur van de babykamer lagen vijf, zes, zéven pakken luiers op elkaar gestapeld. Ik had zin om er een flinke schop tegen te geven. Maar ik wilde geen lawaai maken, dus draaide ik mijn hoofd om en sloop op mijn tenen voorbij.

Nadat ik beneden een plas had gedaan, wilde ik weer zo snel mogelijk naar boven. Maar er was een geluid dat me tegenhield: uit de woonkamer klonk gekraak. Het was niet het kraken van de vloer of van een ouwe stoel. Het was het kraken dat ik maar al te goed kende. Nog vóór dat ik naar binnen had gekeken, wist ik dat oma op de bank zat. Op haar schoot lag een zak dubbelzoute drop, zoals altijd. Ze zat lekker onderuitgezakt in de kussens en las een boek. Haar mondhoeken waren zwart. Misschien voelde ze mijn blik, want ze keek op. Haar kaken gingen ineens heel vlug op en neer en ze slikte totdat haar mond leeg was.

'Storm!' zei ze.
Meer was niet nodig. Met een paar grote passen was ik bij haar. Ik sprong op haar schoot. Tussen ons in ritselde en kraakte de papieren zak. Ik voelde oma's wang tegen mijn hoofd. Andere oma's roken soms naar viooltjes of rozen. Mijn oma niet. Mijn oma rook naar drop. Al zolang ik me kon herinneren.

Dat kan niet!

'Stormpje, Stormpje,' zei ze. Niemand mag me zo noemen. Alleen mijn oma.

Ik legde mijn hoofd op haar borst. Die voelde aan als een groot zacht kussen. Hij ging deinend op en neer. Het was alsof ik in een bootje lag en kalmpjes de rivier afdobberde.

'Dropje?' vroeg oma.

Ik knikte en stopte er twee tegelijk in mijn mond. Ik kauwde er langzaam op.

'Waar zijn papa en mama?' vroeg ik om me heen kijkend.

Oma streelde over mijn haar.

Ik schrok van haar antwoord: 'Naar het ziekenhuis.'

'Hoezo?' Ik keek op mijn horloge. Het was al bijna elf uur. Mama ging nooit 's avonds naar het ziekenhuis!

Mijn hart begon wat sneller te kloppen.

'Waarom?'

Oma keek me diep in de ogen. Ze heeft groene ogen. Spinaziegroen. Ik houd niet van spinazie, maar de kleur vind ik wel mooi.

'Ik denk dat je zusjes vannacht worden geboren.' Oma's hand bleef mijn haar strelen.

'Dat kan niet!' zei ik. Ik verslikte me bijna in mijn dropjes. 'Ze komen pas volgende maand. Dat heeft mama zelf gezegd!'

'Baby's doen gewoon waar ze zelf zin in hebben,' zei oma. 'Die kijken niet naar de kalender.'

Dat leek me ook tamelijk moeilijk als je nog in de buik van je moeder zat!

Ik zweeg maar ik kreunde zachtjes.

Buiten klonk het gerommel van naderend onweer.

'Het zijn er vier,' zei ik.

Ik voelde dat oma knikte.

'Vier meísjes!'

''t Is een beetje veel,' gaf oma toe.

'Meísjes!' zei ik nog eens.

Oma glimlachte. 'Ik ben vroeger ook een meisje geweest,' zei ze.

Daar bleef ik een poos over nadenken.

Buiten klonk een ratelende donderslag.

Telefoon!

Oma zei dat ik maar beter naar bed kon gaan.
Papa zou bellen als de baby's waren geboren.
Ze ging met me mee naar mijn kamer. Ik
liet haar mijn discolichten zien. Ze vond ze
super!
Ze kwam op het randje van mijn bed zitten en
stopte me in.
'Ik kan niet slapen,' zei ik.
'Natuurlijk wel,' zei oma.

En gek genoeg viel ik meteen in slaap. Ik droomde over de baby's. Ze leken op mijn oma. Het waren een soort oma's in het klein. Maar wel met een luier om. Ik vond ze best grappig. Maar ja, het was maar een droom.

Ik schrok wakker door het gerinkel van de telefoon. Oma hoorde blijkbaar niks want het gerinkel bleef aanhouden.

Slaapdronken kwam ik mijn bed uit en stommelde naar beneden. In de huiskamer waren alle lichten nog aan en oma lag op de bank te slapen. Ze snurkte gewoon door. Terwijl de telefoon vlak naast haar hoofd stond!

Ik greep de hoorn. 'Hallo?' zei ik en ik wreef in mijn ogen.

'Storm? Ben jij het?' Papa's stem.

Ik ging op de leuning van de bank zitten.

'Storm?' Hij begon ineens te sniffen. Ik schrok me naar! 'Storm? Je zusjes zijn geboren!'

Ja, dat snapte ik ook wel. Waarom zou hij me anders bellen!

'Het zijn vier kanjers! Storm? De dokters zijn versteld! Ze mogen over een paar dagen al naar huis! Het is haast niet te geloven!'

Volgens mij moest ik toen iets zeggen. Maar ik kon helemaal niks bedenken. Ik viel om van de slaap.

'Is oma daar ook?' vroeg papa.

Gelukkig was ze net wakker geworden. Ze griste de hoorn uit mijn hand en slaakte opgewonden gilletjes terwijl ze met mijn vader sprak.

Ik wilde verder slapen en sjokte naar de trap. Ik had net mijn voet op de onderste tree gezet of oma riep: 'Snel aankleden Storm! Dan gaan we naar je zusjes kijken!'

Naar het ziekenhuis

Oma leek wel gek! Wie gaat er nou midden in de nacht naar het ziekenhuis om naar een paar baby's te kijken!

'Ze lopen niet weg hoor,' zei ik.

Maar oma rammelde met de autosleutels en huppelde om me heen als een lammetje in de lentewei. 'O wat geweldig!' riep ze. 'Vier kerngezonde kinderen! Kom eens hier, Stormpje. Van harte gefeliciteerd met je zusjes!' Ze gaf me een dropzoen. 'Jongen, kijk niet zo lelijk! Probeer een beetje blij te zijn. Wacht maar totdat je ze straks hebt gezien. Dan zul je trots zijn!'

Gapend slofte ik achter haar aan naar buiten. Terwijl de hele stad nog sliep, reden wij door de donkere nacht. Ik keek naar de dikke zwarte wolken en heel in de verte zag ik af en toe een lichtflits.

Het leek wel of oma de weg wist in het ziekenhuis. Ze wist precies welke lift we moesten nemen. En welke gang en welke deur en ze liep wel drie keer zo hard als ze normaal deed.

We stonden stil nadat we bijna op een verpleegster botsten. Ze hief haar hand op alsof ze het verkeer aan het regelen was.

'U bent?' vroeg ze op strenge toon.

Oma glimlachte van oor tot oor. 'De oma van de vierling!' Ze sprak de woorden uit alsof ze de koningin was. Daarna greep ze mijn arm. 'En dit...' zei ze met opgeheven kin, 'is de broer van de vierling.'

Het leek wel of de verpleegster een buiging voor ons maakte. Maar dat zal ik wel niet goed hebben gezien.

'Komt u gauw mee!' zei ze.

Met snelle pasjes dribbelde ze voor ons uit.

Appeltjes

Mama lag in bed. Ik moest even goed kijken want zonder die enorme buik leek ze wel iemand anders. Ze straalde aan één stuk door. Papa zat naast haar en hield haar hand vast. Ook hij zat te glimmen alsof hij de loterij had gewonnen.

Oma en papa en mama sloten elkaar in de armen en ik deed maar een beetje voor spek en bonen mee.

Naast mama's bed stonden vier glazen bakjes en daar lag iets in. Dat waren natuurlijk de baby's, ik was niet gek.

'Kom eens kijken,' zei papa en hij duwde oma en mij er naartoe.

Griselda

Brunhilde

Ik keek. Ik zag vooral heel veel deken en laken. Daar bovenuit stak iets wat nog het meest leek op een appeltje dat te lang op de fruitschaal had gelegen. Ik keek in de andere bakjes en daarin zag ik ook zo'n soort appeltje liggen. Ze leken helemaal niet op de grappige omaatjes die ik in mijn droom had gezien.

'Schattig!' riep oma en drukte haar handen tegen elkaar.

Volgens mij moest ze heel nodig naar de oogarts.

Papa sloeg een arm om me hen. 'Da's wel even wennen, hè Storm. Voor mij ook hoor. Straks hebben we vijf vrouwen in huis!'

Ik knikte maar zo'n beetje.

Eén van de appeltjes begon te bewegen en slaakte een paar korte kreetjes.

Zenobia

Romalia

'Ach,' zei papa vertederd. 'Da's Griselda.'

'Hoe?' vroeg ik.

Papa tikte één voor één de wiegjes aan. 'Griselda,' zei hij. 'Brunhilde. Zenobia en Romalia.'

Het leek een toverspreuk. Mijn mond viel open van verbazing. 'Bedoel je dat ze zo héten?' stamelde ik.

'Prachtige namen, vind je niet?' Mama lag nog steeds te stralen in de kussens.

Ik keek naar oma. Maar die leek het ook allemaal geweldig te vinden.

Ik heb wel eens gedacht dat 'Storm' een belachelijke naam was. Maar Grimalia! Of Ronobia! Of... of...

'Kijk,' zei papa. 'Op elk wiegje staat een naamkaartje. Handig hè.'

Ik zuchtte. Dieper dan ik ooit had gedaan.

Nu was het zover

De zuster die we op de gang ook al hadden ontmoet, bracht ons thee en beschuit met muisjes. Iedereen kreeg er vier. Vier beschuiten, bedoel ik. En één kopje thee. Na iedere hap rolden de muisjes op het bed of op de grond. Dat zag er wel feestelijk uit, net confetti.

Jammer genoeg was ik na drie beschuiten een beetje misselijk. Toen zei de zuster dat we naar huis moesten. Niet omdat we zo hadden geknoeid maar omdat we dan nog even konden slapen.

Het was half vier in de ochtend. Ik was nog nooit eerder in mijn leven om half vier in de ochtend zo wakker geweest. Ik had zin om een potje te gaan voetballen. Of om te gaan fietscrossen op het veldje achter ons huis. Maar oma zei dat de zuster groot gelijk had. Dat we nog even lekker konden gaan knorren. Knorren, zo zei ze dat!

Dus toen gingen we weer. Ik samen met oma. En papa reed in zijn eigen auto achter ons aan. We kwamen warempel onderweg nóg een paar auto's tegen. In verschillende huizen brandde zelfs licht. Wat deden die mensen óp, midden in de nacht?

Ik keek naar de lucht waarin een paar sterren pinkelden. Ik zuchtte. Nu was het zover. Nu was het gebeurd. Dat wat ik niet wilde. Waar ik niet om had gevraagd. Ik had vier zusjes gekregen. Die ook nog lelijke namen hadden. En rooie, rimpelige hoofdjes. Vier brulbaby's waar iedereen blij mee was. Behalve ik.

Hoera!

De volgende ochtend mocht ik eerst even uitslapen. Pas om tien uur kwam ik op school. Daar wist iedereen al dat de baby's waren geboren. De kinderen van mijn groep begonnen te juichen toen ik de klas binnenkwam. Nou moe, toen ik laatst een negen haalde voor mijn rekenproefwerk, tóen hadden ze moeten juichen.

Op het bord stond vier keer 'hoera!' en daaromheen stonden de namen: Griselda, Brunhilde, Zenobia en Romalia. Dat was wel handig. Als iemand mij had gevraagd hoe mijn zusjes heetten, dan had ik het niet kunnen vertellen.

De juf schudde aan één stuk door mijn hand heen en weer. Ze keek al net zo stralend als mijn moeder die nacht had gedaan.

Ze gaf me een groot pak met tekeningen die mijn klasgenootjes die ochtend voor mij hadden gemaakt. Op alle tekeningen stonden vier baby's met roze jurkjes aan. Alleen op de

tekening van Sander stond een hond. Hij leek
een beetje op een koe. Maar ik weet zeker dat
het een hond voorstelde, want er stond 'waf,
waf' naast geschreven. Die tekening vond ik
de mooiste. Daarom legde ik hem boven op
de stapel.

'Ga maar lekker zitten,' zei de juf. 'Het valt
vandaag misschien niet mee voor je om op te
letten.'

Vooral de meisjes zaten me stom aan te
gapen.

Ik staarde naar het versierde bord.

Toen ik thuiskwam, bleek ik te zijn verhuisd.
Dat wil zeggen: papa en oma hadden mijn
kamer leeggemaakt en de babyspullen erin

gezet. Mijn benen trilden toen ik om de hoek van de deur keek. Daar stonden de bedjes en de badjes. De pakken luiers en de hele mikmak.

Mijn discolampen zaten nog in het plafond. Die konden er niet uit zonder de boel te beschadigen.

Ik sjokte naar het kamertje bovenaan de trap. Ik keek naar het behang met de eendjes en het gordijn met de visjes. Mijn bed, mijn bureau en mijn apenkast stonden op de nieuwe zachtgele vloerbedekking. Daarmee was het kamertje propvol. Ik kon er nog maar net bij.

Ik rende de trap af.

'Wat ga je doen?' Oma's stem klonk ongerust. Samen met papa rende ze me achterna.

'Ik ga de kindertelefoon bellen!' schreeuwde ik. Ik greep de hoorn van de haak. Wat was het nummer? Ik kende geen telefoonnummers uit mijn hoofd, alleen dat van mezelf. Ik greep de telefoonklapper en keek bij de letter K. Daar stonden drie nummers. Dat van de kapper. Van de keel- neus- en oorarts. En van mevrouw Koekelorus. Koekelorus? Nooit van gehoord!

Grote broer

Oma en papa namen me in de houdgreep en schreeuwden dat ik moest kalmeren.

'Wie? Ik?' schreeuwde ik loeihard terug. Het leek wel of we met een schreeuwwedstrijd bezig waren. En je wilt het geloven of niet maar de lamp die boven de telefoon hing, knalde spontaan uit elkaar. Daar werden we alledrie heel stil van.
'Oef,' zei papa. Hij liet me los en staarde naar de scherven.

Oma liet me ook los. Ze haalde een zak dropjes uit haar mouw en hield me die voor.

Natuurlijk was ik nog steeds kwaad. Daarom nam ik niet één maar tien dropjes en propte ze allemaal tegelijk naar binnen.

Papa sloeg een arm om me heen en aaide over mijn haar. Daar was ik niet blij mee want het had me een kwartier gekost om het in model te krijgen.

'Ik snap best dat je niet gelukkig bent met dat kleine kamertje,' zei papa. 'Maar weet jij een andere oplossing? We kunnen je zusjes toch niet opstapelen? Of op de overloop leggen?'

Persoonlijk kon ik niet bedenken wat daar mis mee was.

'Storm, je zult je even moeten aanpassen,' zei papa. 'Zo gaat dat soms in het leven. Kom op joh. Jij bent nu mijn grote zoon, én de grote broer van de vier meiden!'

Mijn onderlip begon ineens een beetje te bibberen. Het klonk wel stoer natuurlijk: de grote broer van de vier meiden. Maar het sloeg nergens op. Meiden, ja, over tien jaar of zo. Nu waren het nog baby's. Die alleen maar konden blèren en boeren en piesen en poepen.

Thuis

Na een paar dagen kwam mama thuis. Nu haar enorme buik was verdwenen, kon ze weer gewoon door de deur. Ze droeg ook geen bungalowtent meer maar een spijkerbroek. Ik vond het fijn dat ze er weer uitzag als een gewone moeder.

Jammer genoeg bracht ze de baby's mee. Ze zaten in een soort van boodschappenmandjes. Zij droeg er twee en papa droeg er twee. Het was net of ze naar de super waren geweest en de aanbieding van de week hadden gekocht.

Je kunt je niet voorstellen hoe vol ons huis ineens was. Je zou misschien denken: die vier baby's zijn klein. Maar het was net of ons huis ineens één groot babyhotel was. En het ergste was: ze gingen niet meer weg.

En een bezoek dat er plotseling kwam, ik wist niet wat ik zag! Ooms en tantes en buren en overburen en achterburen. En ook nog iemand van de krant en zelfs de burgemeester! En iedereen bracht cadeautjes mee. Vier! Ik kon nergens meer zitten en ik brak haast mijn nek over de rammelaars en de knuffelberen.

Ik vluchtte naar Sander. Ik hoefde niks te zeggen. Hij keek me aan en vroeg: 'Potje voetballen?'

Ik knikte.

Sander haalde zijn bal uit de schuur. Samen liepen we naar het veldje. Daar trapten we uit alle macht tegen de bal. Toen het zweet in druppeltjes uit onze haren liep, vielen we languit neer, kauwden we op een grasspriet en keken we naar die wolken die overdreven. Eén van de wolken leek op een dikke baby. Sander zag het ook. 'In het begin zijn ze het ergst,' zei hij. 'Maar je went eraan.'

Ik proefde de woorden in mijn mond. 'Je went eraan.' Kon je ooit wennen aan vier baby's?

Ik draaide mijn hoofd en keek naar Sander. Hij was mijn vriend. We hadden nog nooit tegen elkaar gelogen.

Stipjes

Op mijn nieuwe kamertje miste ik mijn stereo
en mijn discolampen. Heel erg. Maar voor de
stereo was geen plaats en dan had ik aan mijn
discolampen natuurlijk ook niets. Bovendien
had niemand tijd om ze uit het plafond te
halen want elke minuut ging naar de baby's.
Het leek wel of mama en papa niets anders
deden dan voederen, badderen, luiers
verwisselen en billetjes poederen.
Oma kwam vaak helpen maar die krengetjes
hadden áltijd honger en als er één begon te
brullen, blèrden de andere drie binnen een
minuut mee.

Af en toe moest ik meehelpen om ze de fles te
geven. Eerst wilde ik niet maar mama duwde

gewoon zo'n gillend kind in mijn armen en dan kon ik niet anders. Toen ik het eenmaal een keer gedaan had, vond ik het niet meer zo heel erg. Op de kinderboerderij heb ik ook wel eens een geitje de fles gegeven. Dat was ongeveer net zo.

De baby's leken sprekend op elkaar. Toch wist mama altijd precies wie wie was. Dan zei ze: 'Hier heb je Brunhilde.' Of: 'Dit is Romalia.'

Ik dacht: misschien zegt ze zomaar wat. Ik kan toch niet controleren of het waar is wat ze zegt. Maar ik werd zo nieuwsgierig of het klopte wat ze zei, dat ik een plannetje bedacht. Iedere keer als mama een naam noemde, zette ik met onafwasbare viltstift een stipje achter het rechteroortje van de baby. Romalia kreeg een rood stipje. Brunhilde en bruine. Zenobia een zwarte en Griselda een grijze. Ik heb toen voor het gemak maar meteen hun namen veranderd in Roodje, Bruintje, Zwartje en Grijsje. Dat klonk veel beter vond ik en die namen kon ik tenminste onthouden. Ik heb wekenlang het stipje achter hun oor gecheckt en, geloof het of niet, mama vergiste zich niet één keer!

Muziek!

Na een week of zes was ik eindelijk een klein beetje gewend aan de nieuwe situatie. Ik speelde veel bij Sander en verder ging ik zoveel mogelijk mijn eigen gang. We aten nooit meer precies om zes uur en mama zei nooit meer dingen als: 'Heb jij je tanden wel gepoetst? Trek eens een schone broek aan. Je mag wel eens naar de kapper gaan'. Of: 'Moet jij nog niet naar bed?!' Dus dat was een groot voordeel.

Mama werd wel steeds dunner en witter. Papa trouwens ook. Ze kregen kringen onder hun ogen en één keer viel mama aan tafel in slaap. Zo, tjoep met haar neus op haar bord met bloemkool.

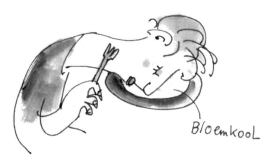

Bloemkool

Dat kwam misschien ook wel doordat de baby's 's nachts zo vaak huilden. Dan moesten papa en mama uit bed om ze een fles te geven, of een fopspeen, of een schone luier. Soms hoorde ik mama midden in de nacht zingen: 'Slaap kindje slaap', of: 'Suja, suja, kindje'. Ik viel daardoor meteen weer in slaap, maar het zou me niets verbazen als die brulapen gewoon doorblèrden.

Toen, op een nacht (het was vlak nadat mama met haar neus in de bloemkool was gezakt), werd ik weer eens wakker van het babygehuil. Ik kroop diep onder mijn dekbed en verwachtte snel de stem van mijn vader of moeder te horen. Maar er gebeurde niets. Ik kon me niet voorstellen dat papa en mama het gebrul niet hoorden want vier van die krijsende baby's maken meer lawaai dan een heel kattenasiel bij elkaar. Dat kan ik je wel vertellen.

Natuurlijk kon ik zo ook niet slapen. Ik besloot papa en mama te gaan wekken. Ik keek om het hoekje van de slaapkamerdeur. Ze sliepen zó diep dat ik even dacht dat ze niet meer ademden, maar gelukkig lieten ze plotseling allebei een harde snurk horen. En dat doe je niet als je dood bent.

'Pssst!' probeerde ik. 'Wakker worden! De baby's blèren!'

Maar ze sliepen gewoon door.

Ik liep naar de kamer waarin mijn zusjes lagen. Míjn kamer! Ik knipte het licht aan. Heel even waren ze stil. Een tel of wat, toen begonnen ze weer. Tjonge wat een herrie! Ik besloot wraak te nemen en zette een cd op. Ik koos er een van De Wilde Panters, die gaan goed tekeer. Meteen flikkerden ook mijn discolampen op. Ze knipperden, flitsten en straalden in het zwarte plafond. En, je raadt nooit wat er gebeurde: de baby's waren alle vier tegelijk stil. Ze keken met grote ogen naar het plafond. Hun handjes zwaaiden boven de dekentjes uit en... ze lachten! Echt waar! Ik wist niet wat ik zag! Die grieten hielden niet van 'slaap kindje slaap' maar wel van De Wilde Panters! Zo!

Ik liep wat dichter naar hun bedjes toe. Wie was dat nou, die eerste baby die zo lag te swingen? Ik keek naar het stipje: Zwartje. Over swingen gesproken... Die andere, wie was dat? Bruintje... nou, die kon er ook wat van!

Ik keek naar Grijsje en Roodje. Hun armpjes zwaaiden van links naar rechts.

'Weet je wat?' zei ik. 'Ik zet 'm op *repeat all*. Dan kunnen jullie lekker de hele nacht doorgaan!'

En de volgende dag waren ze braaf joh! Ze maften bijna de hele dag!

Privé-praat

Een paar weken daarna maakte ik iets raars mee. Mama had me naar de super gestuurd om een turbopak luiers te kopen. Ik baalde als een stekker. Ik bedoel: ik was acht, dan loop je liever met iets anders over straat. Een zak patat. Of een doos negerzoenen. En zo kan ik nog wel wat bedenken.

Ik liep zo snel mogelijk terug. Springt er ineens een man uit de struiken. Ik dacht dat het een kinderlokker was. Maar ik wist meteen dat ik het mis had want hij had geen rol snoep in zijn hand. Wel een fototoestel aan een koordje om zijn nek.

'Ben jij Storm?' vroeg hij.

Ik knikte.

Hij haalde een schrijfblokje en een pen te voorschijn. Toen wist ik hoe laat het was. Ik was al acht en niet gek.

'Ik ben van Privé-praat,' zei hij. 'Mag ik je een paar vragen stellen?'

Als hij iets over computers had willen vragen

had ik het best gevonden. Of over voetbal.
Maar het ging natuurlijk weer over je-weet-
wel.

'Niet zo'n zin,' zei ik en wilde doorlopen.

'Ach, kom nou,' zei hij. Plotseling zwaaide
hij met een biljet van twintig euro voor mijn
neus.

Vreemd, maar toen kreeg ik ineens ontzettend
veel zin.

'Wat wilt u weten?' vroeg ik en stopte het geld
meteen in mijn zak. Onder mijn zakdoek,
want je kon nooit weten.

'Is er nog nieuws over de vierling?' vroeg de
man.

Ik dacht diep na.

'Kunnen ze al lopen? Praten?'

'Nee,' zei ik. Ik schaamde me een beetje. Die
zussen van mij konden nog niks. Ja, brullen

en poepen. Gelukkig bedacht ik iets: 'Ze zijn dol op De Wilde Panters.'

'Dat meen je niet. Zo jong al?' De man begon driftig te schrijven. 'Ik zet je even op de foto, ja?'

Hij knipte wel tien keer en ik moest tien keer tsjiez zeggen.

De week erna stond ik in Privé-praat. Drie pagina's. Er stond van alles in wat ik niet had gezegd, maar mama vond het enig. En van die twintig euro heb ik een nieuwe cd gekocht!

Het drama

En toen gebeurde er iets vreselijks. Als ik eraan terug denk voel ik mijn benen weer helemaal slap worden. Er was uitverkoop in de stad. Mama wilde er heen want ze wilde schoentjes kopen voor de vierling. Waar dat goed voor was weet ik niet want ze krópen alleen maar en volgens mij kun je dat ook heel goed zonder schoenen. Maar mijn moeder is wel vaker eigenwijs en daar zijn jammer genoeg geen pilletjes tegen. Het betekende wel dat de vierling mee moest want de schoentjes moesten worden gepast. Om vier wandelwagens te duwen heb je vier mensen nodig. Dus werd oma opgetrommeld en ik moest er ook aan geloven. Het leek wel een soort carnavalsoptocht: Mama ging voorop.

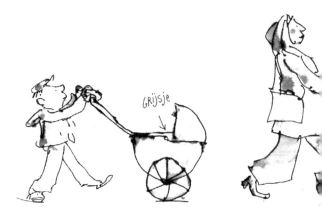

Daarachter kwam papa. Dan oma, en ik liep helemaal achteraan.

Die man van Privé-praat was er ook weer met zijn fototoestel, maar voordat ik mijn hand kon ophouden had hij al een serie foto's gemaakt en daarna smeerde hij hem meteen. En we hadden niet eens tijd gehad om tsjiez te zeggen.

Op de stoep bleven mensen stilstaan om naar ons te kijken. Mama knikte en lachte naar iedereen. Het viel me nog mee dat ze niet ging zwaaien zoals de koningin dat altijd doet.

Ik baalde als een stekker. Ik duwde de wagen met Grijsje. Ik zette haar mijn pet op. Nu zag ze er anders uit dan de andere drie en leek het of wij er niet bij hoorden. Ik ging ook wat

langzamer lopen zodat de afstand tussen ons en oma en Roodje groter werd.

We kwamen langs de etalage van de bakker. Daar bleven we even staan. Ik ben dol op taartjes en ik vind het alleen al geweldig om er naar te kijken. Er lagen heerlijke roomsoezen en mokkapunten en slagroomgebakjes met een kers. Het water liep me in de mond.

'Om!' zei Grijsje.

'Taart!' wees ik. 'Kijk!'

'Om!' zei ze weer.

En ineens zag ik dat mijn pet was verdwenen. Ik keek om me heen. In de wagen, op de grond, achter me. 'Waar is mijn pet?' riep ik. 'Waar heb je mijn pet gelaten?'

En toen deed ik iets heel stoms.

Weg!

Ze had de pet natuurlijk afgetrokken en op de grond gegooid. En ik had er niks van gemerkt.

'Lekker kind ben jij!' snauwde ik.

Ik liet haar voor de etalage staan en begon terug te lopen. Ik speurde naar links en naar rechts. Mijn pet moest ik terughebben. Het is een mooie rode met een ster erop. Niemand heeft zo'n mooie pet. Oma heeft hem een keer meegebracht van vakantie in Engeland. Ik moest hem terugvinden. Al moest ik de halve stad afzoeken.

Ineens zag ik hem. Een jongen, vrij groot, zeker een jaar of twaalf, had hem op zijn hoofd. 'Da's mijn pet,' zei ik en wilde hem terugpakken.

'Ja hallo,' zei de jongen. 'Dat mocht je willen.'

'Da's mijn pet,' herhaalde ik. 'Ik ben hem net verloren. Geef terug!'

'Die is gek!' zei de jongen en wilde doorlopen.

Maar zo makkelijk laat ik me niet afpoeieren.
Ik sprong op en griste de pet van zijn hoofd.
Ik draaide me om zodat ik weg kon rennen
en botste tegen oma op.

'Wat is hier aan de hand?' vroeg ze. Haar
mondhoeken waren pikzwart en haar adem
rook naar dubbelzoute knopen.

De jongen deinsde achteruit. Het leek net of
hij ineens een kop kleiner werd.

'Hij had mijn pet,' zei ik. 'Maar nu heb ik

hem weer terug.' Snel zette ik hem op, de klep in mijn nek.

'Mooi,' zei oma. 'Dropje?' Ze hield de jongen haar dropzak voor. Hij loerde even naar mij, graaide in de zak en maakte toen dat hij wegkwam.

'Waar is Griselda?' vroeg oma.

Ik nam ook een dropje uit de zak. 'Bij de bakker,' antwoordde ik. 'Voor de etalage.'

Samen met oma tuurde ik de straat uit. In de verte stonden papa en mama met drie wandelwagens.

Mijn hart begon ineens als een idioot tekeer te gaan. 'Wie zijn er bij papa en mama?' vroeg ik en mijn mond werd raar droog.

'Brunhilde,' antwoordde oma. 'En Zenobia en Romalia.'

Ik begon terug te lopen, steeds sneller.

Oma kwam op een holletje achter me aan.

'Grijsje?' riep ik met een piepstemmetje. 'Grijsje?'

De wandelwagen stond niet meer voor de etalage.

Goed mis!

Ik voelde van alles tegelijk. Ik had het koud en warm. Ik begon te bibberen en mijn hart begon te roffelen. Er was iets goed mis, dat voelde ik. Papa en mama liepen me tegemoet. Mama duwde twee wandelwagens wat heel moeilijk is. Ze botste dan ook overal tegenaan.

'Waar is Griselda?' riep ze, al zigzaggend.

Ik keek alle kanten op. Oma kwam naast me staan en drukte mijn hoofd tegen haar zachte boezem. 'Kalmte kan een mens redden,' zei ze. 'Alles komt goed, Storm.'

Daar geloofde ik nog helemaal niks van. En toen mama begreep wat er aan de hand was, en begon te gillen, wilde ik maar één ding: verdwijnen naar een warm zonnig eiland waar je de hele dag chocoladereepjes kunt eten.

'Hoe kon je nou zo dom zijn?' begon papa met een hoofd als een overrijpe tomaat.

Maar oma snoerde hem meteen de mond. 'Ja! Daar hebben we nu even niks aan,' zei ze kordaat. 'Pak je mobieltje en bel de politie!'

Die was er binnen een paar minuten; twee agenten, een dikke en een dunne.

'Signalement?' vroeg de dikke.

Dat woord kende ik. Toevallig had ik dat de vorige week op school geleerd. Het betekent: persoonsbeschrijving.

We wezen alledrie naar Zwartje, Bruintje en Roodje.

De agent sperde zijn ogen wijd open en wreef erin.

'Is dat een drieling?' vroeg de dunne tamelijk slim.

'Nee,' zei oma. 'Het is een vierling maar we zijn er eentje kwijt. En die ene lijkt precies op die andere drie.'

De dikke begon in zijn boekje te schrijven.

Het duurde mij allemaal veel te lang.

'Ik ga intussen alvast zoeken!' zei ik.

Maar ik had geen idee welke kant ik op moest.

Zoeken

Ik had nooit kunnen bedenken dat ik het zo erg zou vinden dat Grijsje weg was. Ik bedoel maar... Er waren er nog drie over en drie baby's of vier... Zoveel verschil is dat niet. Maar toch, Grijsje was heel bijzonder: ze was dol op De Wilde Panters en ze kon mijn naam zeggen, net zoals haar zusjes. Ze hoorde er gewoon bij. Ze moest terug! Ik wilde haar terug!
Ik begon te rennen. Wat kon er gebeurd zijn? Iemand had haar natuurlijk meegenomen. Maar wie? En waar naartoe?
Ze kon overal zijn, daarom liep ik overal heen. Ik keek rond in winkels. Bij de slager,

bij de hakkenbar, bij het reisbureau, bij de krantenkiosk en bij de dierenwinkel. Bij de tandarts, het tankstation, de bieb en bloemist. En overal vroeg ik: 'Hebt u mijn zusje gezien? Ze heet Grijsje.'

Iedereen zei nee. Alleen de mevrouw bij de bloemist vertelde dat ze een grijze poes had gezien die Minous heette.

Ik weet niet hoe lang ik heb gezocht maar het begon al een beetje donker te worden toen ik het park inliep. Ik was moe. Ik wilde even gaan zitten om uit te rusten. Mijn voeten sloften over het grindpad. Waar kon ze zijn? Stel je voor dat we Grijsje niet terug vonden! Wat verschrikkelijk zou dat zijn!

En toen, ineens... hoorde ik een bekend geluid. Ik hoorde een brulbaby. Ik begon meteen weer te rennen, nu in de richting van het gekrijs. Op een bankje zaten een paar zwervers, twee mannen en een vrouw. Om hen heen lagen lege flessen. Ze zongen een liedje: Suja, suja kindje. De vrouw hield Grijsje vast en wiegde haar zacht op en neer. De wandelwagen stond naast haar.

Even bleef ik staan. Wat moest ik doen?

Zouden ze Grijsje wel terug willen geven?

Toen ze mij zagen, hielden ze op met zingen.

De vrouw kneep haar ogen samen. ''t Is een jankerd!' zei ze afkeurend.

''t Is mijn zusje,' zei ik. 'Zal ik haar weer meenemen?' Ik hield mijn adem in.

'Geef maar gauw mee, Mien,' zei de man die links van haar zat. 'Ik krijg een houten kop van dat geblèr!'

De andere man knikte: 'Je hebt een ondankbaar zusje,' zei hij. 'We zitten al een uur voor haar te zingen.'

Ik griste Grijsje uit de armen van de vrouw en duwde haar in de wandelwagen. 'Ze houdt alleen maar van De Wilde Panters,' zei ik, en ik maakte dat ik wegkwam.

Grijsje was gestopt met brullen. Ze strekte haar armpjes naar me uit, lachte en riep mijn naam: 'Om! Om!'

Jarig!

En toen was het ineens eind november en was ik bijna jarig. Ik hield er rekening mee dat papa en mama het zouden vergeten. Daarom had ik overal in huis briefjes opgehangen:

Ik schreef het ook iedere dag op het boodschappenlijstje:

En het hielp! Op de dag van mijn verjaardag was het huis versierd en papa had een taart gebakken. Mijn zusjes zaten alle vier in hun wipstoeltje en hadden een plat pakje in hun handjes. Ik vroeg me af wat erin kon zitten. In ieder geval geen hond, dat was wel duidelijk.

Papa en mama deden een beetje vreemd. Mama had roze blosjes op haar wangen en ze zaten weer hand in hand op de bank.

'We willen je iets belangrijks vertellen,' zei papa.

Ik keek meteen naar mama's buik.

'We krijgen toch niet wéér een baby hè,' vroeg ik. Ik werd meteen een beetje misslijk alsof ik al vijf stukken taart op had.

'Nee, nee!' riepen papa en mama en ze keken elkaar lacherig en verliefd aan. 'Maar we hebben wel groot nieuws. Misschien moet je eerst de cadeautjes maar eens uitpakken.'

De baby's hadden niet zoveel zin om de pakjes aan mij te geven. Ik ruilde ze voor een rammelaar uit hun eigen speelgoedkist. Nieuwsgierig trok ik het papier van het eerste pakje. Ik was teleurgesteld. Het was een chocoladeletter, de letter p.

Ik vind dat chocoladeletters bij sinterklaas horen, niet bij mijn verjaardag. Ik had al meteen een donkerbruin vermoeden wat er in de andere pakjes zat.
Juist. Ook chocoladeletters.
De u, de o en de h.

Niet eens een s!

Het grote nieuws!

Papa en mama zaten te grinniken alsof ze een goeie mop hadden verteld.

'Je snapt er niks van hè?' zei mama. 'Deze letters zijn een soort puzzeltje. Je kunt er een woord mee maken, probeer maar eens.'

Ik keek de kamer rond of ik soms nog ergens anders een cadeau zag, maar er was niks te zien. Dat wil zeggen: er was genoeg te zien maar geen cadeau.

Dus legde ik de letters maar achter elkaar:

Ik geloof niet dat ik het leuk vond.

'Je moet die p omdraaien,' zei papa. 'Het moet
een d zijn.'

Toen kreeg ik ineens heel andere woorden:

'Nou die u nog,' zei mama. 'Draai hem eens
om!'

De u werd een n.

'Hond?'

Ik sprong bijna tegen het plafond. 'Krijg ik een hond?'

'Blijf even heel kalm,' zei papa. 'Dan zullen we het vertellen.'

Ik ging weer zitten, boven op mijn handen, met mijn knieën tegen elkaar gedrukt van de spanning.

'We gaan verhuizen,' zei mama. 'Begin volgend jaar. Dit kan zo niet langer. We krijgen een groot huis, met een kamer voor iedereen.'

'Ook voor mij?'

'Natuurlijk ook voor jou! De grootste wordt voor jou. Dat moet ook wel, want jullie moeten daar samen slapen.'

Ik snapte nog niet wat mama bedoelde. 'Met wie moet ik daar slapen?'

'Met je hond!' riepen papa en mama tegelijk.

Toen was ik niet meer te houden! Ik rende de kamer door, vloog de trap op en af en schreeuwde: 'Een hond! Een hond! Ik krijg een hond!'

Eindelijk ging mijn grootste wens in vervulling.

Toen ik na een half uur eindelijk wat rustiger

was geworden, ging ik bij papa en mama op de bank zitten en kreeg ik een stuk taart.

De vierling zat tegenover me en volgde het gebaksvorkje dat op en neer ging naar mijn mond.

'Ik krijg een hond!' zei ik, want ik wist niet of ze dat al hadden begrepen.

'Ont!' zei Zwartje.

'Ont!' zei Grijsje.

'Ont! Ont!' herhaalden Roodje en Bruintje. Ze strekten hun armpjes in de lucht alsof ze juichten.

'ONT!'

'Yeah!' riep Grijsje. (Of zoiets.)

En toen wist ik dat alles helemaal goed zou komen!

Leverbaar van Mieke van Hooft
bij Uitgeverij Holland

Voor peuters en kleuters

Het grote boek van Sebastiaan
Roza je rok zakt af
Roza je hoed waait weg
Stamp, stamp olifant

Berenboekjes (zelf lezen)

Piratenfeest
Het doorgezaagde meisje
Hier waakt de goudvis
Het gillende jongetje
Het prijzenmonster
Beroemd
De lachende kat

10+

Weg met de meester
De tasjesdief
Nachtlopers
Kinderen ontvoerd
Treiterkoppen
Straatkatten
De truc met de doos
Geen geweld
De suikersmoes
Zwijgplicht
Raadsels

Berenboekjes